DENTELLES

DENTELLES

Les Éditions
du Carrousel

ISBN 2-7456-0192-X

SOMMAIRE

DES ARTS APPLIQUES A L'INDUSTRIE

La dentelle étant l'un des ornements les plus gracieux que puisse porter une femme, on peut en tirer cette déduction : c'est que son inventeur appartient à la plus haute antiquité.

Au moyen-age, la dentelle n'était qu'une espèce de passementerie blanche, en fil de lin, tricotée aux fuseaux ou à l'aiguille sans réseau.

Un peu plus tard elle se transforma. Elle devint une espèce de toile découpée, à fortes nervures qu'on appelait passement, et qui s'employait surtout dans l'ameublement et les costumes sacerdotaux.

Le passement fut à son tour perfectionné. Le fil employé devint de plus en plus fin ; on varia le réseau et la guipure naquit.

La guipure, qui n'était en fait qu'une passementerie aux fuseaux, régna en souveraine maîtresse de François Ier à Louis XIII. Les dessins extrêmement riches que les amateurs ont pu admirer et dont nous donnons ici de très beaux échantillons, étaient exécutés sur une feuille de parchemin, que l'on découpait ensuite pour la revêtir de fil et de soie tortillée.

La *cartifane*, tel était le nom donné à ces patrons en parchemin, avait l'inconvénient de ne pouvoir supporter l'eau sans se gâter, ce qui rendait la guipure imblanchissable, et par conséquent fort chère.

De nouveaux essais permirent de supprimer la cartifane et de la remplacer par une bourre en fil de lin, ce qui rendit la guipure aussi solide au blanchissage que la toile.

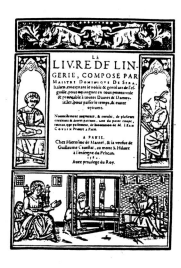

Dominique de Séra, Le livre de lingerie, Paris, 1584.

C'est au XVIIème siècle que la passion pour la dentelle alla jusqu'à la folie. Les points s'étaient multipliés : le point de Venise, le point de Gênes, le point de Raguse, le point de Bruxelles, le point de Malines, le point de Valenciennes, le point de Paris, le point d'Aurillac. Il y avait aussi la guipure ; la bisette, ainsi appelée parce qu'elle était demi-blanche ; la gueuse, dentelle à réseau clair et d'une consommation générale à cause de son bon marché ; la campane, dentelle blanche destinée à élargir les autres dentelles ; la mignonnette, appelée aussi blonde de fil ; enfin, les dentelles d'or et d'argent fabriquées spécialement à Lyon.

Non seulement on couvrait ses vêtements de dentelles, mais on en mettait aux draps de lit, aux linceuls, sur les carrosses et les chevaux. Cette consommation avait d'autant plus d'inconvénients, qu'à part le point de Valenciennes, les dentelles les plus riches se fabricaient à l'étranger. Le meilleur argent de France allait ainsi à Bruxelles ou à Venise et la noblesse se ruinait aux dépens du pays. Colbert voulut mettre un frein à la fureur de la mode et Louis XIV interdit la dentelle dans ses Etats, le 27 novembre 1660.

Colbert vit bien que tous les édits du monde ne serviraient à rien et que le mieux était de profiter du mal qu'il ne pouvait empêcher. C'est alors qu'il eut cette grande idée de créer en France des fabriques de dentelles capables de rivaliser avec Venise et Bruxelles et qui s'établirent à Alençon.

Le point d'Alençon, qui s'est appelé point de France jusqu'en 1790, ne ressemblait pas du tout à celui qu'il voulait imiter : le point de Venise. Le soin que nécessitait sa confection rendait cette dentelle excessivement chère.

Les modèles que nous reproduisons aujourd'hui permettent de reprendre au passé ces merveilles oubliées pour les employer dans notre ameublement. Sans doute les emploiera-t-on moins qu'autrefois. Nous ne reverrons jamais les splendeurs de la Renaissance et du siècle de Louis XIV. On compte les fortunes qui, malgré la suppression des majorats, peuvent se payer le luxe dont jouissaient nos aïeux. C'est la révolution qui a fait du XIXè siècle un siècle d'imitation, de restauration et de copie, où tout est fictif depuis le marbre jusqu'aux mandats de paiement.

L'avenir nous réserve peut-être de voir poindre l'art nouveau, l'art démocratique. Quant à présent, il faut nous en tenir aux conjectures ; mon seul espoir est dans le progrès de plus en plus rapide des sciences, car le seul moyen d'unir le présent au passé est d'inventer des machines perfectionnées, qui diminuent le prix de la main d'œuvre et jettent sur le marché des objets copiés d'après les anciens modèles. Il n'y aura pas d'invention, bien entendu, les

Vinciolo, Singuliers et nouveaux pourtraicts pour toutes sortes d'ouvrages de lingerie, Paris, 1587. Frontispice de la troisième édition, 1606.

La fleur des patrons de lingerie, publié par Claude Nourry, imprimeur lyonnais entre 1501 et 1533.

Livre nouveau, dict patrons de lingerie, publié par Pierre de Sainte Lucie à Lyon entre 1530 et 1533.

procédés nouveaux ne vaudront jamais le travail à la main, c'est incontestable ; mais le goût sera respecté et les belles œuvres se propageront.

Une cause qui a exercé sur les arts industriels la plus déplorable influence est le mépris profond que les artistes professent pour les entreprises commerciales ; on dirait qu'ils craignent de profaner leur talent en lui donnant un caractère d'utilité publique. Leurs prédécesseurs étaient moins fiers, et ils ne croyaient pas déroger en dessinant les moindres objets. Sansovino et Donatello ont modelé des heurtoirs de porte ; François Rajbolini, autrement dit le Francia, a gravé les caractères de l'imprimerie Aldine ; Zoan Andrea Vavassore, élève de Mantegna, gravait sur bois des patrons de broderie et de tapisserie, Lebrun a fourni les dessins de toutes les espagnolettes du château de Versailles.

Nous n'en demandons pas tant aujourd'hui. Qu'on exploite les anciens modèles, qu'on choisisse ceux qui sont le plus en rapport avec notre civilisation, et on verra bientôt exhumer de nos bibliothèques plus de documents qu'il n'en faut pour prouver aux incrédules, s'il y en avait toutefois, que l'art peut se manifester dans la fabrication des produits industriels.

Hippolyte Cocheris

(Patrons de broderie et de lingerie du XVIè siècle, Paris, 1872)

S'enfuyent les patrons de Messire Antoine Belin, publié par Pierre de Sainte Lucie à Lyon entre 1533 et 1555.

XVIème SIÈCLE

Bien que la fabrication de la dentelle remonte au XVème siècle, ce n'est pas avant le milieu du XVIème siècle que nous rencontrons, même chez les plus grands seigneurs, des meubles ornés de passements ou de dentelles.

Le premier ameublement garni de ce précieux tissu dont nous trouvions trace dans les anciens documents figure dans le *Trousseau de Claude de France* (1558). On y remarque un "lit et les dais de velours cramoisi de haute couleur, passementé de deux pieds et demi de grand passement large d'or".

Il est vraisemblable que les passements ou dentelles d'or étaient importés d'Italie, car, à cette époque, la fabrication était extrêmement florissante non seulement à Bologne à Milan et à Gênes, mais encore à Venise et à Rome. Les artisans qui s'adonnaient à cette profession artistique étaient même assez nombreux pour que les dessinateurs émérites composent et fassent publier à leur intention des recueils de modèles.

Durant le XVIème siècle, ces publications s'élevèrent à un chiffre tellement considérable que l'on peut encore, à l'heure actuelle, consulter à Paris à la Bibliothèque nationale près de cinquante traités imprimés de 1517 à 1599, et s'occupant de ces délicats travaux. Sur ce nombre, vingt-huit sont italiens, sept français, quatre allemands. Encore ces derniers ne sont-ils que des traductions ou des copies de traités italiens.

Parmi les plus remarquables dans ce genre, nous citerons *La gloria et l'honore de Ponti tagliati et Ponti in oere*, publiée à Venise en 1558 par Mathio Pagan, *Le studio delle virtuose dame dove si vedono bellissimi lavori di Punto in aria, retuella, di maglia*, etc... dessiné par Isabetta Catanea Parasole (1597) et *La corona delle nobili et virtuose donne* (1601). Mentionnons encore *Les singuliers et nouveaux pourtraicts servans de patrons à faire toutes sortes de poinct coupé*, dédié à la *Royne*, par le seigneur Frédéric Vinciolo, Vénitien.

(Havard. Dictionnaire de l'ameublement, Paris, 1887-1890.)

Vinciolo. Singuliers et nouveaux pourtraicts
servant de patrons à faire toutes sortes de poinct coupé, Paris, 1587.

Vinciolo. Singuliers et nouveaux pourtraicts
servant de patrons à faire toutes sortes de poinct coupé, Paris, 1587.

13

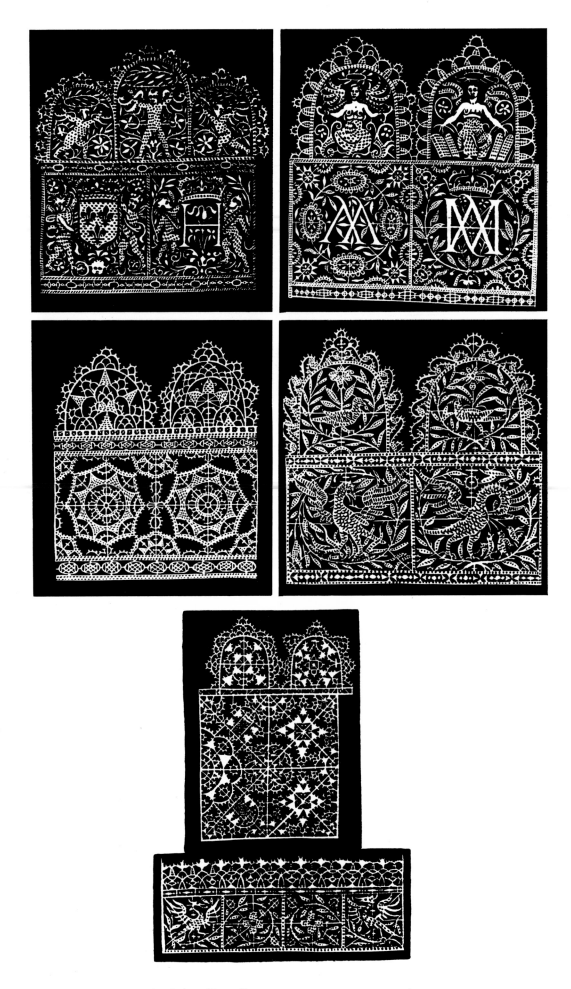

Vinciolo. Singuliers et nouveaux pourtraicts
servant de patrons à faire toutes sortes de poinct coupé, Paris, 1587.

Livre à dentelles et dessins d'ornements, Allemagne.

Livre à dentelles et dessins d'ornements, Allemagne.

Livre à dentelles et dessins d'ornements, Allemagne.

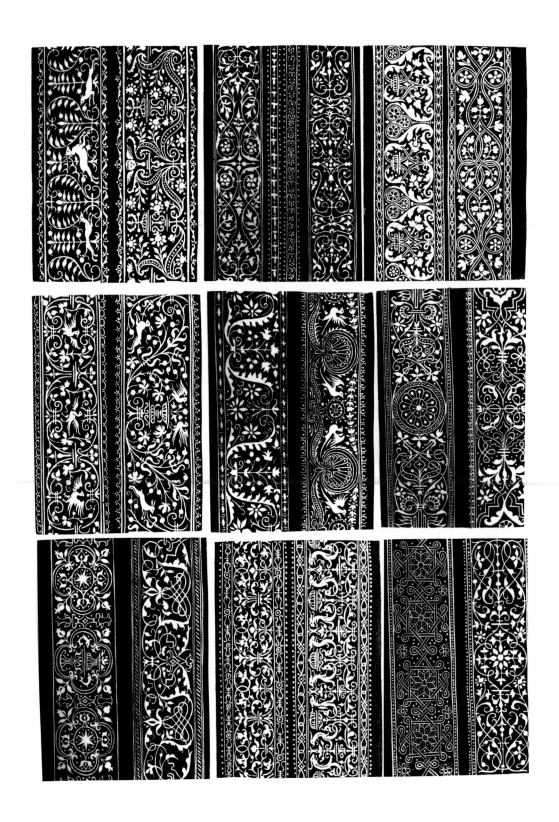

Livre à dentelles et dessins d'ornements, Allemagne.

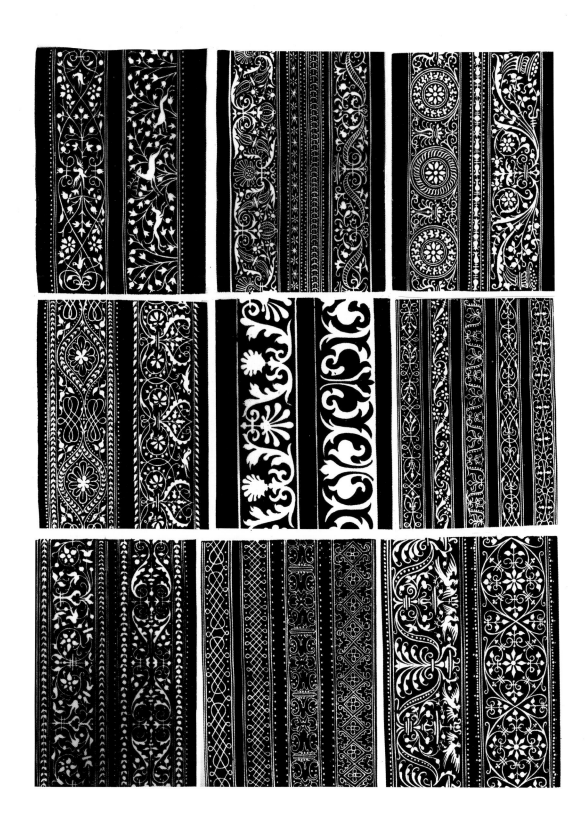

Livre à dentelles et dessins d'ornements, Allemagne.

Siebmacher. Point coupé, Nuremberg, 1597.

Siebmacher. Point coupé, Nuremberg, 1597.

Matio Pagan. Giardinetto novo di punti tagliati
et gropposi per exercito e ornamento delle donne, Venise, 1542

XVIIème SIÈCLE

On dit, avec infiniment de raison, que la seconde moitié du XVIIème siècle et la première du XVIIIème ont
constitué le siècle par excellence des dentelles.
L'iconographie de ce temps fournit, en effet, par
centaines des portraits admirables où la dentelle joue,
dans l'ajustement et dans la parure, un rôle en quelque
sorte prépondérant. Dans ces portraits, il s'agit de
dentelles de lin. A cette époque, en effet, ces légers
tissus firent fureur et on peut affirmer que jamais ils ne
furent plus recherchés.
S'il était besoin de preuves de cette passion
désordonnée pour ces délicats tissus, nous les
trouverions dans les lois somptuaires qui en interdirent
l'usage. Le 12 décembre 1633, le Parlement de Paris
défendit, sous peine de mille cinq cent livres d'amende,
de porter des dentelles de plus de neuf livres l'aune, ni
d'en vendre d'un plus haut prix, à peine d'une amende
de trois mille livres.
Au XVIIème siècle, l'on vit les dentelles flamandes
prendre le pas sur les fameux points de Venise et de
Gênes, qui jusque là avaient passé pour les tissus les
plus parfaits que l'on connût.
Les plus belles et les plus recherchées d'entre les
dentelles de Flandre furent, dès le principe, celles dites
de Bruxelles que l'on a appelées aussi et fort
improprement point d'Angleterre, parce que
l'importation s'en est faite longtemps par ce pays.

*(Havard. Dictionnaire de l'ameublement, Paris, 1887-
1890.)*

26

Willhelm Hoffman. Modelbuch - Livre de modèles, Francfort, 1604.

28

Willhelm Hoffman. Modelbuch - Livre de modèles, Francfort, 1604.

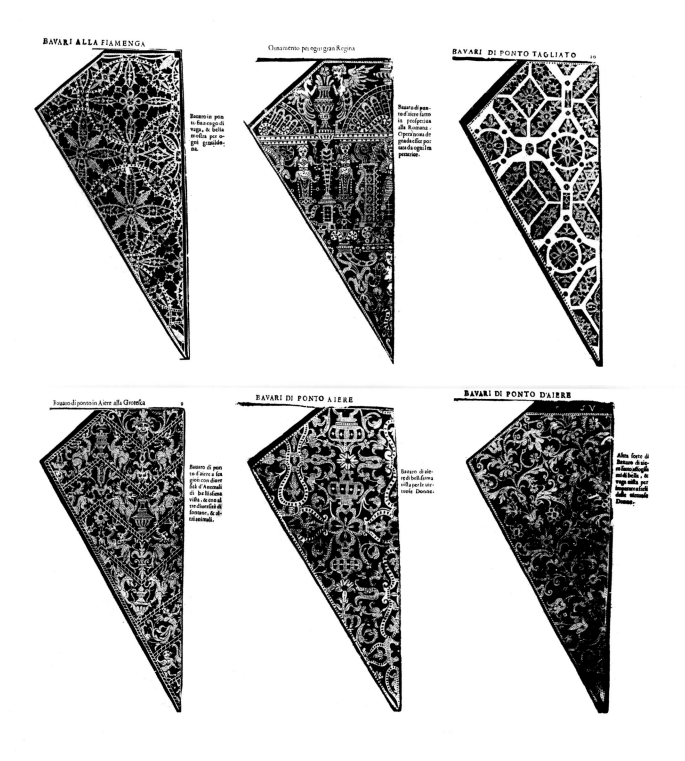

Lucrezia Romana. L'Ornamento, Venise, 1620.

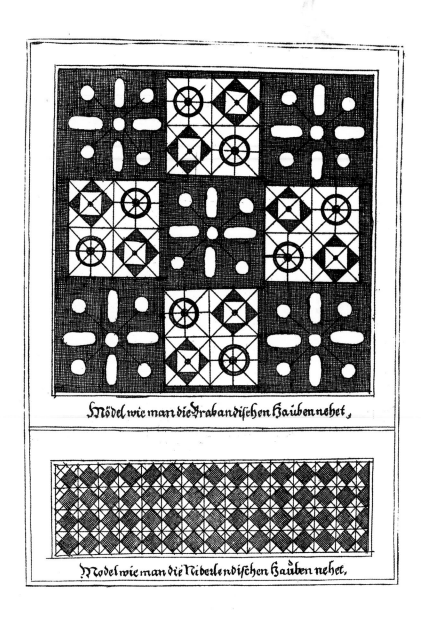

Mödel wie man die Brabandischen Hauben nehet.

Model wie man die Niderlendischen Hauben nehet.

Modelwiemandie Brabandisehen Baubennehet, Allemagne.

Modelwiemandie Brabandisehen Baubennehet, Allemagne.

33

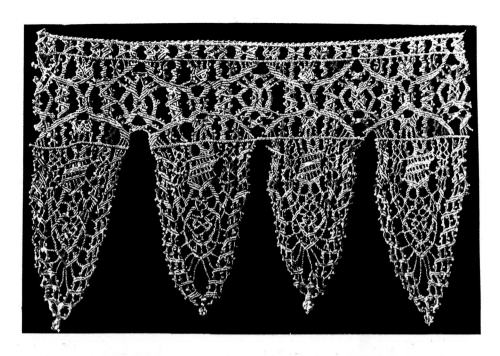

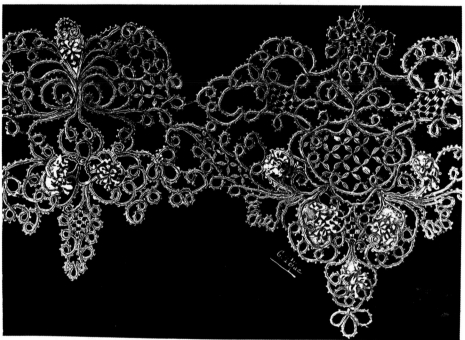

Dentelle aux fuseaux de fabrication grecque et italienne.
Détail d'une garniture de robe en passementerie, Italie.
Isabelle d'Autriche, gouvernante des Pays Bas.

Dentelles au point de Venise.

Guipure au point de Venise, Italie.

XVIIIème SIÈCLE

Si l'on parvint à créer à Alençon un point qui, imité de celui de Venise, put lutter avec les dentelles flamandes, on s'efforça également d'établir à Lyon, au commencement du XVIIIème siècle, une fabrication imitée de celle de Flandre, et capable sinon de surpasser du moins d'égaler celle-ci en finesse et surtout en blancheur.

Il va sans dire que l'on continuera de fabriquer, en France et un peu partout, des dentelles beaucoup plus ordinaires qui figurent dans le commerce sous le nom de bisette, mignonnette, gueuse, campane, guipure etc...

(Havard. Dictionnaire de l'ameublement, Paris, 1887-1890.)

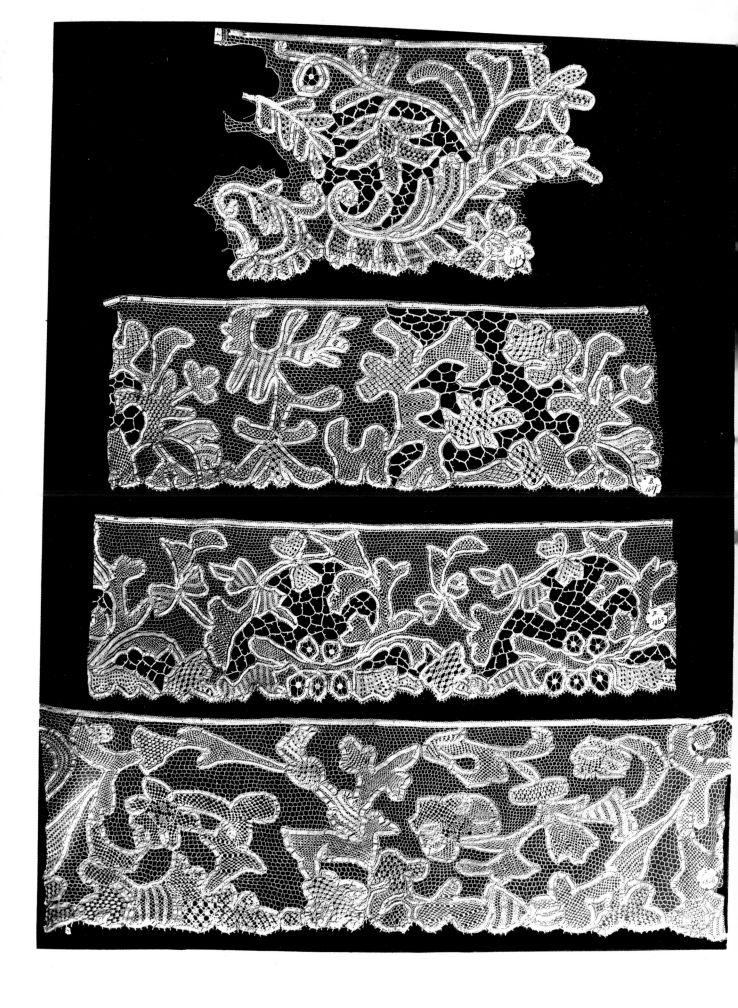

Dentelles de Flandres.

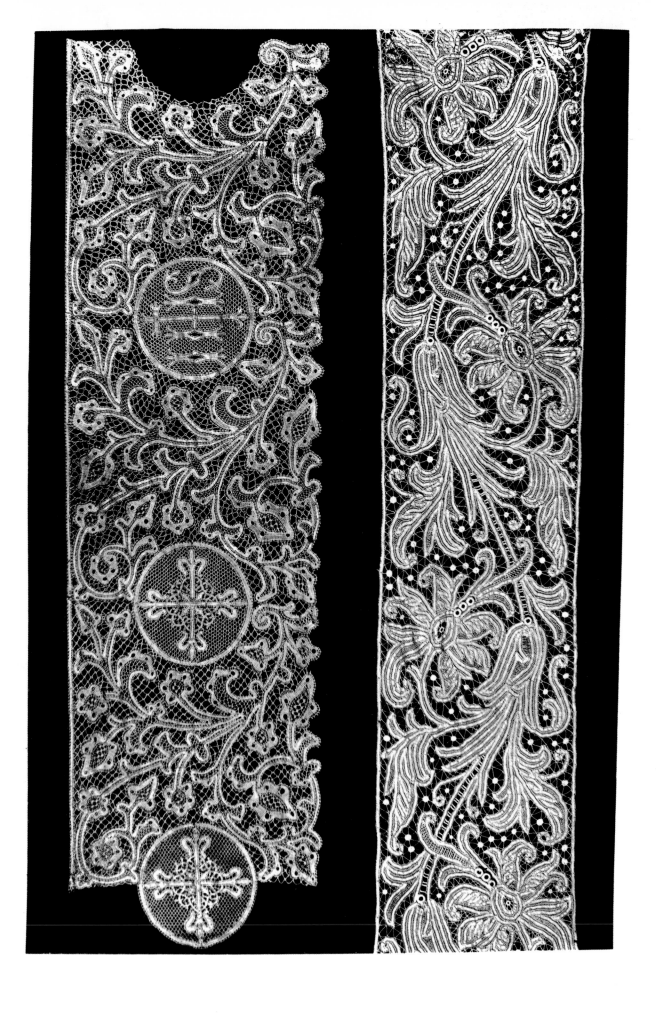

Bas d'aube et de surplus, dentelles de Brabant, milieu du XVIIIème siècle.

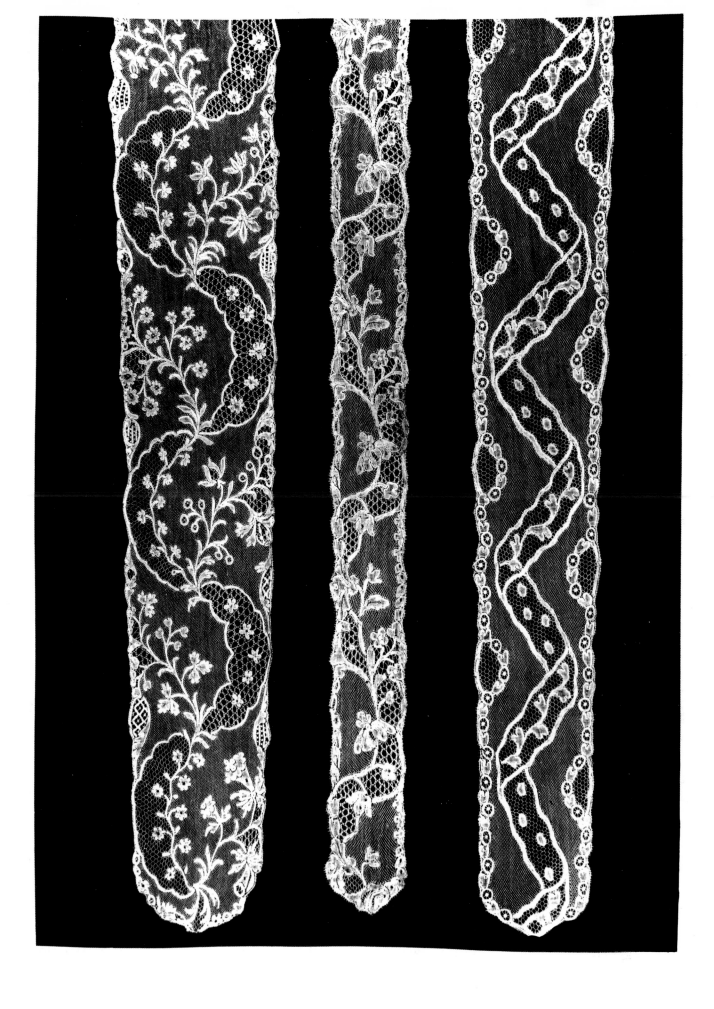

Barbes. Dentelles de Malines aux fuseaux.

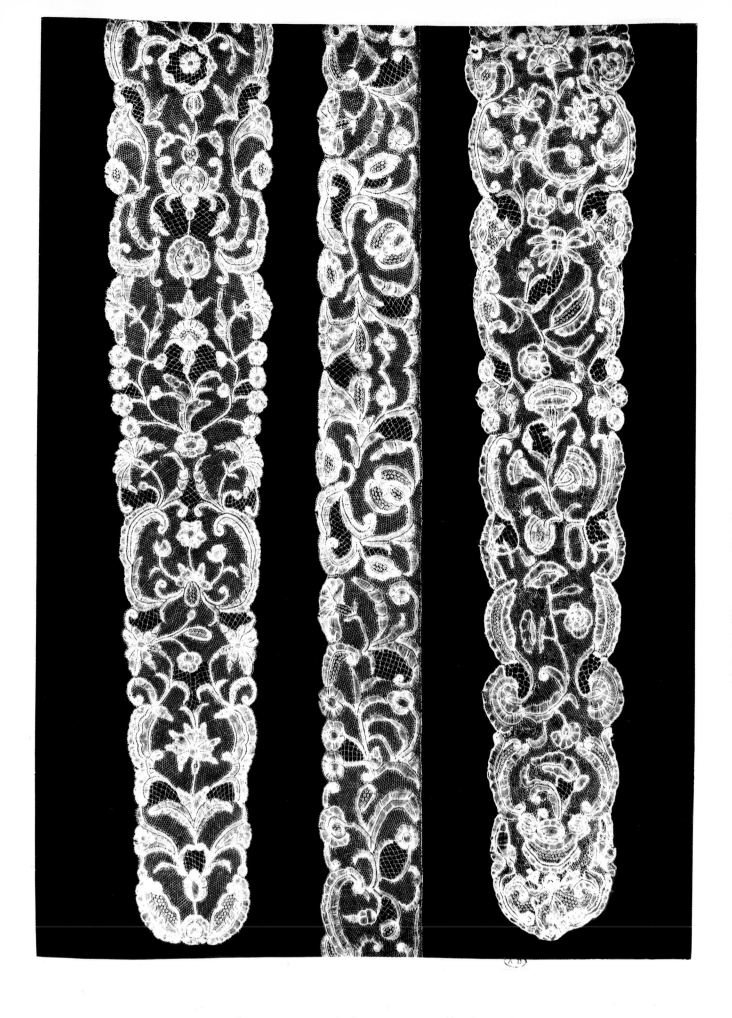

Barbes et passes de bonnet. Dentelle de Brabant.

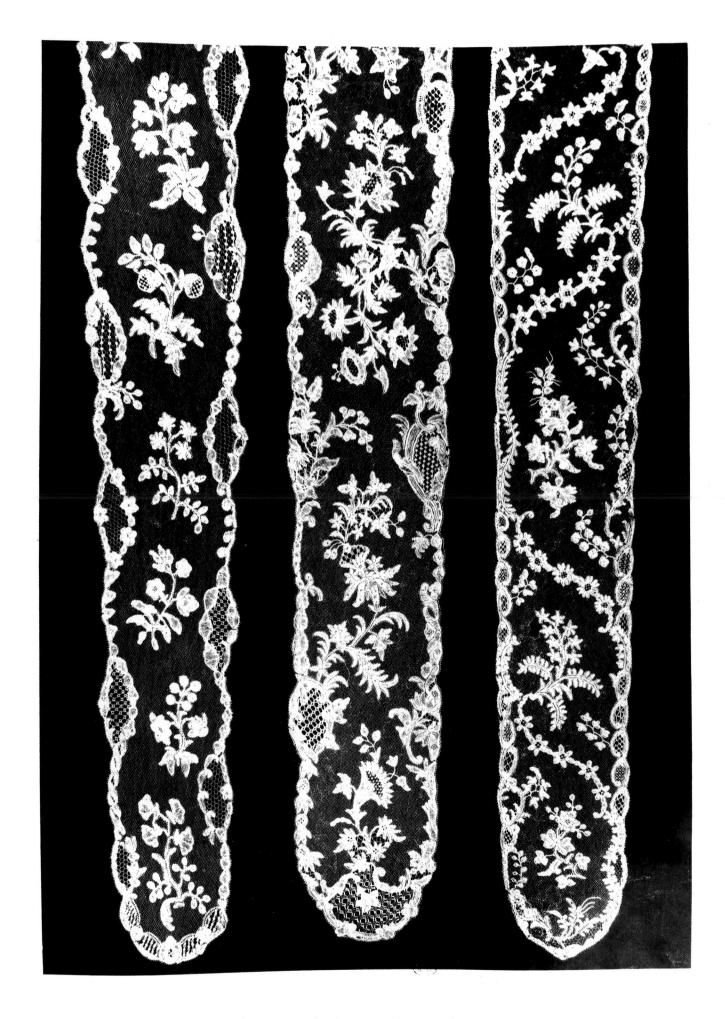

Barbes. Dentelle de Bruxelles aux fuseaux.

Barbes et passe de bonnet. Dentelle de Bruxelles aux fuseaux.

45

Dentelles au vieux point de Bruxelles. Première moitié du XVIIIème siècle.

Dentelle de Venise. Début du XVIIIème siècle.

47

Point d'Argentan.
Dentelle en application d'Angleterre.
Point d'Argentan, deuxième moitié du XVIII ème siècle.

Iohann Gottfried Böck. Gedüpfelte Strück Fürm,
zu frauenzimer Handfchuhen, livre de modèles, Allemagne, 1756.

Iohann Gottfried Böck. Gedüpfelte Strück Fürm,
zu frauenzimer Handfchuhen, livre de modèles, Allemagne, 1756

51

XIXème SIÈCLE

A la fin du XVIIIème siècle, la dentelle est démodée : elle disparaît du costume masculin et n'est plus utilisée que pour les dessous féminins. Il en résulte une uniformisation de sa production, un soin moins grand apporté à sa fabrication, un appauvrissement des motifs qui deviennent répétitifs.

Parallèlement à cela, l'anglais Heathcoat met au point la technologie de la fabrication mécanique du tulle entre 1800 et 1810. Ce tulle est orné de motifs brodés sur les bords. Les motifs sont fabriqués à l'aiguille ou au fuseau pour être ensuite appliqués sur le fond de tulle mécanique.

Vers 1830, la dentelle connaît un regain d'intérêt et des motifs d'une richesse infinie, souvent inspirés des cachemires, s'étalent sur de grandes crinolines en chantilly noire aux fuseaux ou au point d'Argentan ou d'Alençon à l'aiguille.

Entre-deux. France.

54

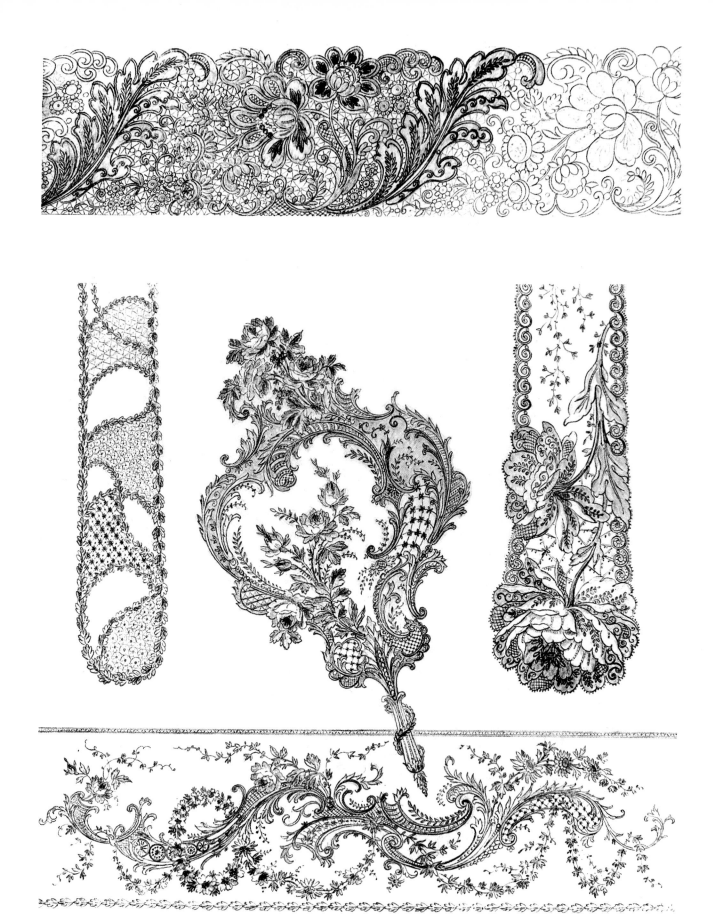

Rapp. Entre-deux, barbes, écran, France.

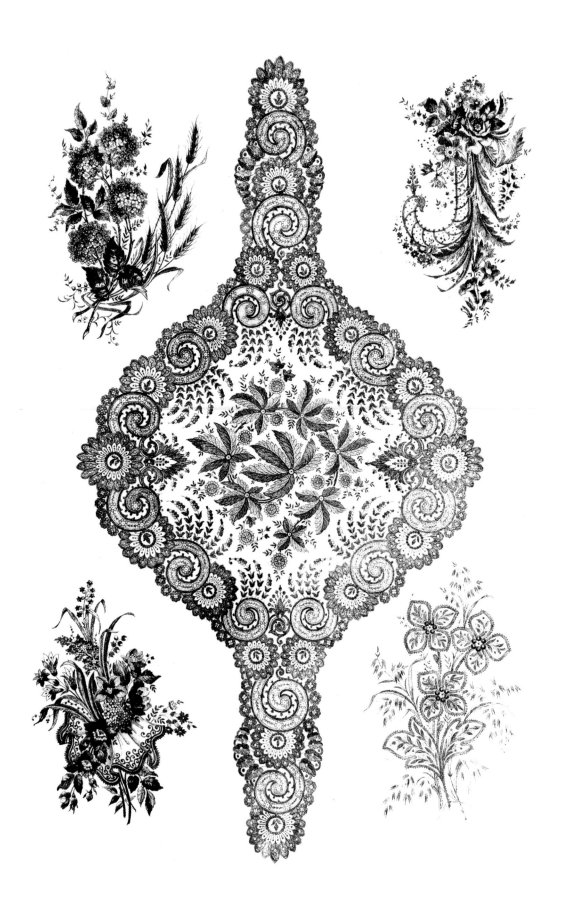

Faure. Andalouse et motifs, France.

Faure. Andalouse et motifs, France.

Dentelle chantilly et volants brodés, France.
Dessin pour un volant de dentelle. France, XIXème siècle

Dessin d'un volant de dentelle noire fabriqué par la maison Lefebure et fils, Bayeux.
Châle carré. Catalogue de la maison Hry G. et T., fabricants à Paris,
Amiens et St Pierre les Calais. France, 1860-1868.

Rapp. Store, France.
Faure. Store flamand, France .
A. Herweg. Dessin de rideau, France, 1897.

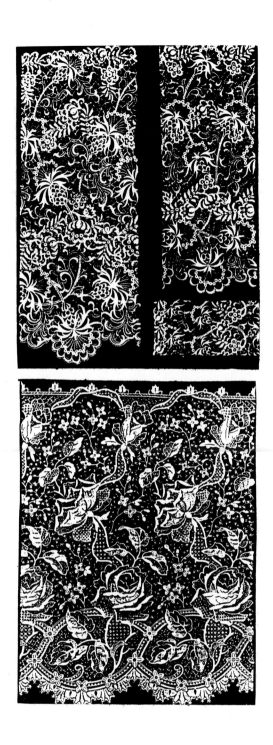

William Eichhom. Modèle de dentelle, Allemagne, 1898.
Anton Unger. Modèle de dentelle, Allemagne, fin XIXème siècle.

Anton Unger

Bernard Russler. Modèle de dentelle, Allemagne, 1898.
Guipure de Venise en soie noire. France.

Cols de dentelle. Autriche.

comp. H SCHNABL

Lelée. Echarpe en dentelle, France, 1896

Lewis F. Day. Angleterre.

XXème SIÈCLE

Au tournant du siècle, la dentelle est tellement prisée que l'industrie ne peut satisfaire la demande. Les classes aisées se tournent alors vers la récupération de dentelles anciennes dont les producteurs contemporains ne tarderont pas à imiter les motifs, produisant des dentelles de toutes sortes, inspirées aussi bien de la Renaissance, dont beaucoup de recueils de motifs sont réédités en fac-similé depuis la deuxième moitié du XIXème siècle, que des siècles suivants dont des specimens sont conservés dans les premiers musées de la dentelle.

Cet engouement est également marqué par la multiplication des expositions et des concours de dentelles.

Des dessinateurs renommés tels Henri Verneuil, ou Félix Aubert qui fournissait des dessins à la fabrique de Bayeux, incorporent à leurs compositions les éléments stylistiques de l'Art Nouveau.

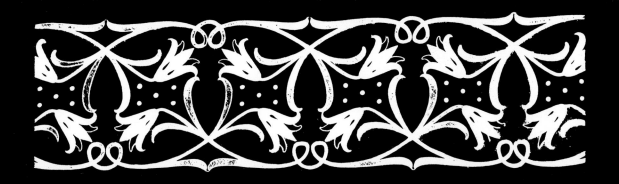

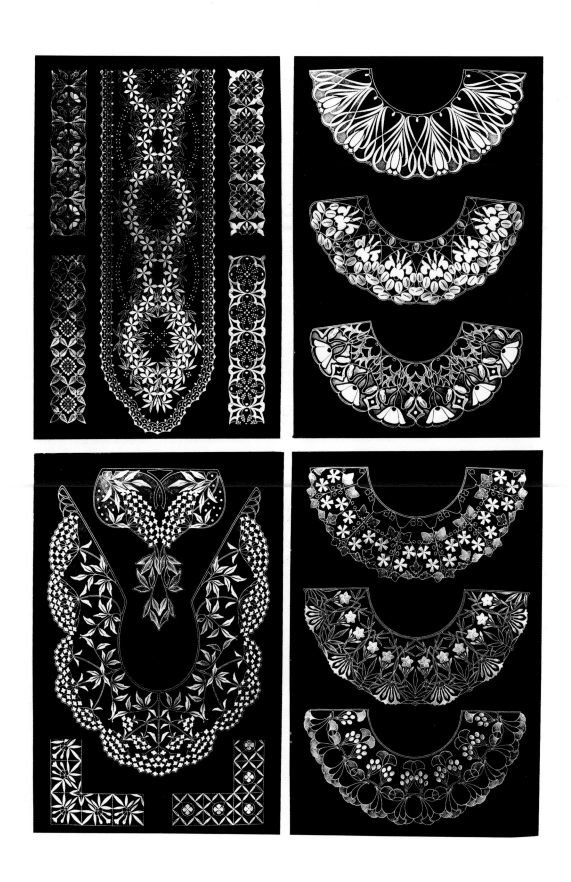

Felix Aubert. Projets de dentelle, Paris, 1904.

Felix Aubert. Projets de dentelle, Paris, 1904.

Felix Aubert. Projets de dentelle, Paris, 1904.

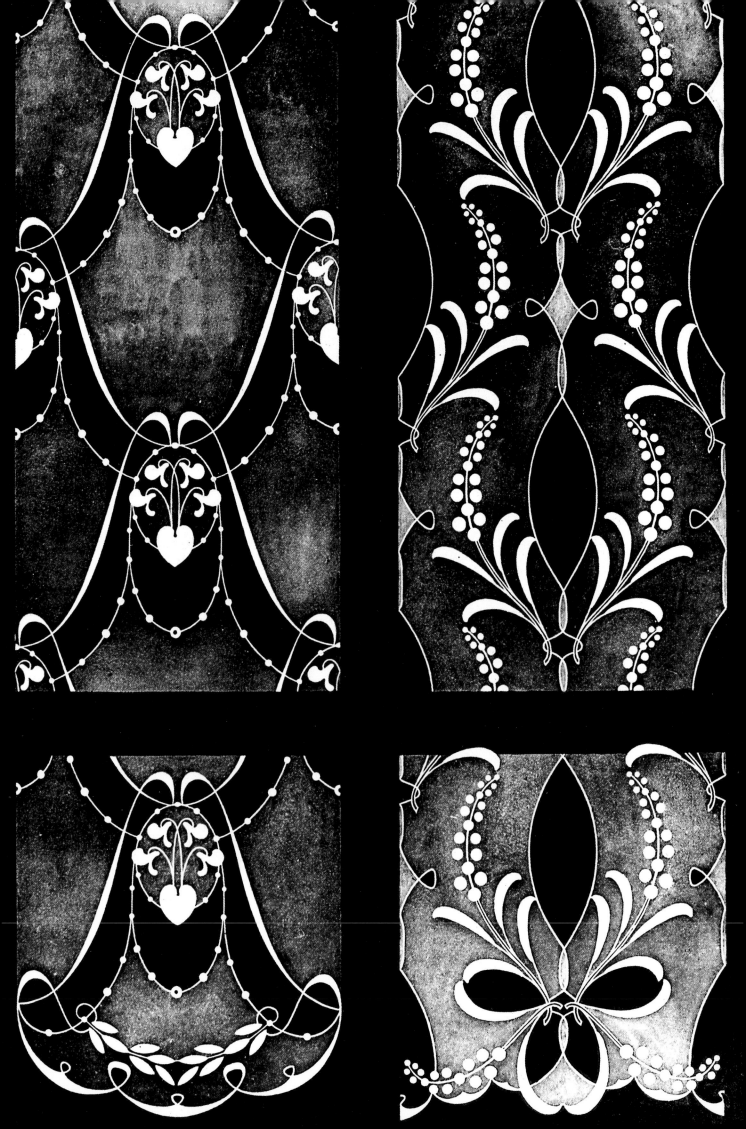

Felix Aubert. Projets de dentelle, Paris, 1904.

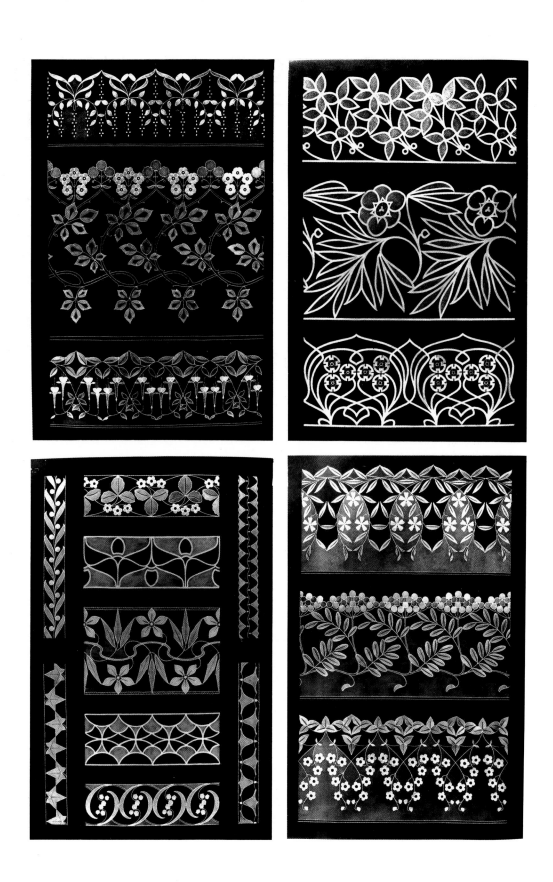

Felix Aubert. Projets de dentelle, Paris, 1904.

A. Herbinier. Dentelles fleuries, France.

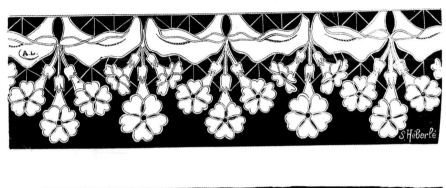

Projets de dentelle. France, 1904.

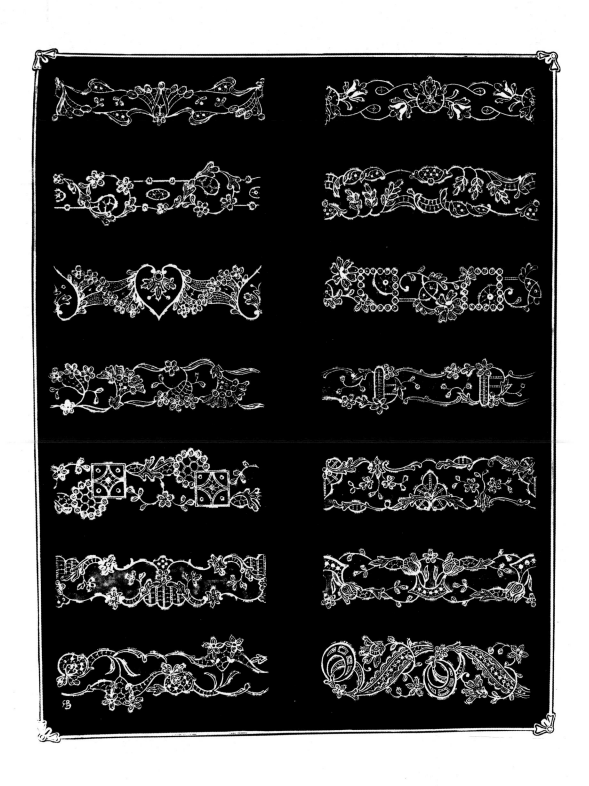

Planche de motifs de dentelles, L'album du dessinateur, Paris, 1903.
Robert Bossu. Col guipure, Paris, 1906.

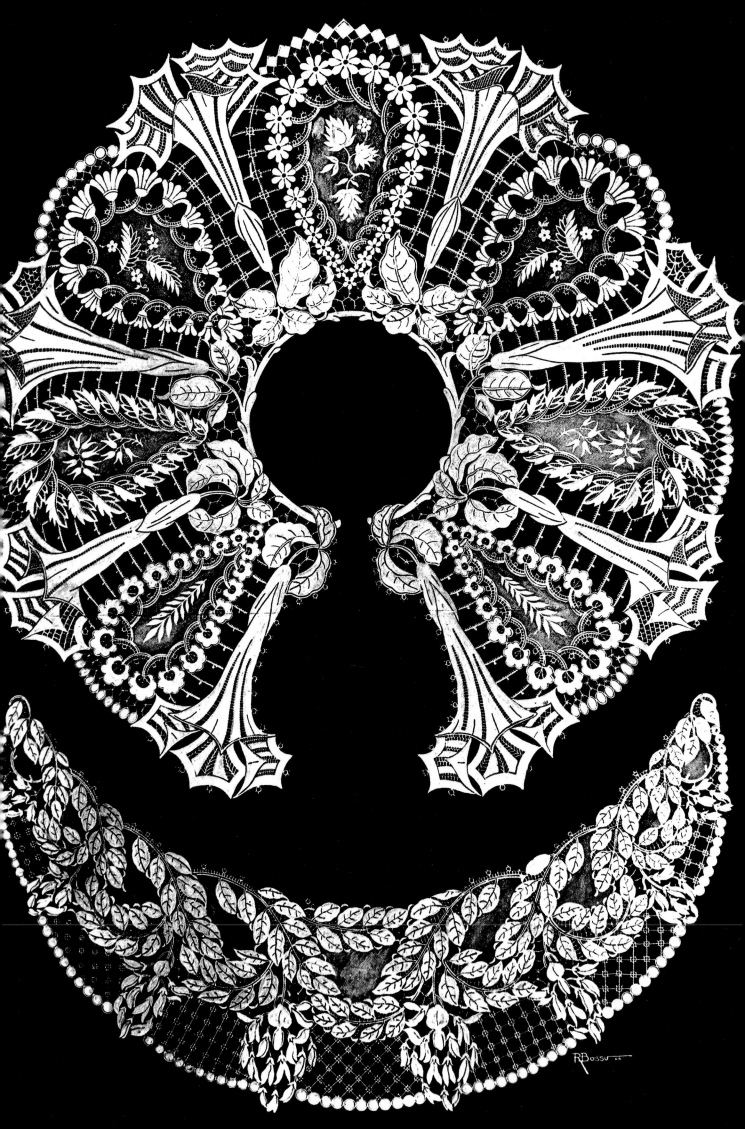

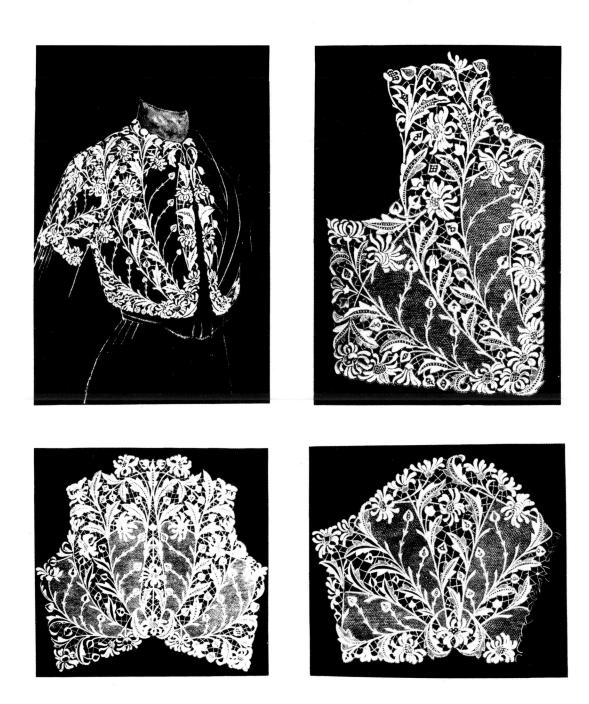

Edith Mason. Projet d'un boléro en dentelle de Honiton, Angleterre.
Catalogue de la maison Melville et Ziffer, Paris.

MELVILLE & ZIFFER   PARIS
54. Faubourg Saint-Honoré

Les mesures à donner
sont les suivantes :
tour de taille, de poitrine et de cou,
longueur du devant
et du dos,
largeur des épaules
longueur des manches.

Blouse en filet, garnie
de point de Venise,
fond de tulle.

Nous fournissons le tulle
dessiné
pour broder soi-même
cette blouse.

Blouse en tulle brodé garnie de dentelle aux fuseaux.

Voile de fauteuil, application sur tulle. France, 1911.
Maurice Point. L'Album du dessinateur, Paris, 1903.

Dessins pour modèles de dentelles, France.
Verneuil. Dessins de dentelles, Etude de la plante, Paris,1908

Dentelles et broderies

Chardon-Marie
Dentelle. Fig 290

Col de dentelle
Liseron Fig 28?

Verneuil. Dessins de dentelles, Etude de la plante, Paris, 1908.

Verneuil. Dessins de dentelles, Etude de la plante, Paris,1908.

Bibliographie

Felix Aubert. *Entwürfe für spitzen und stichereien,* 1904.
Bury Palliser. *Histoire de la dentelle,* Paris, 1869.
Hippolyte Cocheris. *Patrons de broderie et de lingerie du XVIème siècle,* Paris, 1872.
Guerinet. *L'art décoratif aux Salons de 1906,* Paris, 1906.
Henri Havard. *Dictionnaire de l'ameublement et de la décoration depuis le XIIIème siècle jusqu'à nos jours,* Paris, 1887 à 1890.
Ernest Lefébure. *Broderie et dentelle,* Paris, 1887.
Verneuil. *Etude de la plante. Son application aux industries d'art,* Paris, 1908.

CRÉDITS PHOTOGRAPHIQUES

Bibliothèque des Arts Décoratifs - Collection Maciet, Paris : pages 27-28-29-30-31-32-33-34-35-36-37-39-40-41-42-43-44-45-46-47-48-49-50-51-53-54-55-56-57-58-59-60-61-62-63-64-65-66-67-68-69-70-71-73-74-75-77-78-79-80-81-82-83-84-85-86-87-89-90-91. Bibliothèque des Arts Décoratifs, Paris : pages 15-17.
Reproductions Bibliothèque des Arts Décoratifs - M.Peersman.

Achevé d'imprimer
en février 1999
sur les presses de l'imprimerie
Grafedit – Azzano San Paolo (Italie)
Dépôt légal : 1er trimestre 1999